JACOB RIIS

Jacob Riis

Introduction par Leslie Nolan

COLLECTION PHOTO POCHE

La collection Photo Poche a été publiée de 1982 à 1996 par le Centre National de la Photographie avec le concours du Ministère de la Culture. Robert Delpire qui l'a créée en assure la direction.

Légende de la couverture :
Attention au bébé. Gotham Court, c. 1890.

© 1997. Editions Nathan, Paris
© 1997, Museum of the City of New york pour les photographies de Jacob Riis
Tous droits réservés pour tous pays
ISBN : 2-09-754 118-6

Imprimé en France / Printed in France

JACOB A. RIIS

Au début et au milieu du 19e siècle, la photographie s'acquit un vaste public par la seule vertu de sa nouveauté. D'innombrables photographes s'assuraient des revenus réguliers en produisant ce qui n'était guère plus que des cartes de visite, répondant au désir profondément humain d'avoir un portrait de soi, d'un parent ou d'un ami. Les possibilités artistiques du médium, sa capacité de persuasion et ses qualités expressément documentaires restaient à explorer.

Dans l'Amérique des années 1860, les reportages du photographe de premier plan que fut Matthew Brady attirèrent l'attention du grand public sur l'horreur de la guerre de Sécession (1861-1865). De même, vers la fin du siècle, l'immigrant danois Jacob A. Riis fut parmi les premiers à exploiter le pouvoir de cette nouvelle technique à des fins sociales. Journaliste et écrivain engagé dans une croisade personnelle en faveur des déshérités, Riis recourut aux photographies et aux plaques de lanterne magique pour illustrer ses écrits et ses conférences. Il parvint ainsi, avec un succès sans précédent, à mobiliser la conscience des classes moyennes et à susciter des réformes durables. On avait déjà utilisé l'appareil photographique pour montrer les bas-fonds de l'Europe, mais l'oeuvre de Riis figure parmi les toutes premières archives photographiques de la misère urbaine aux Etats-Unis, parmi celles aussi qui marquent le plus puissamment le spectateur, quel qu'il soit.

Né le 3 mai 1849 à Ribe, au Danemark, troisième d'une famille de quatorze enfants, Jacob Auguste Riis émigra à New York en 1870. Sans le sou mais riche d'espoir comme les milliers d'autres arrivants, il connut souvent les asiles de nuit des postes de police, refuges de la dernière chance du New York de cette fin de siècle. Il quitta bientôt la ville pour se livrer à toutes sortes d'acticités rurales, et épousa en 1876 son amour d'enfance, Elisabeth Nielsen, également originaire de Ribe. Il revint à New York en 1877 et trouva un emploi stable de reporter de faits divers au *New York Herald Tribune*. Le commissariat central de la police newyorkaise était alors situé dans Mulberry Street, au coeur du Lower East Side. Riis couvrit ce quartier de taudis à l'époque où les immigrants italiens, irlandais et juifs d'Europe de l'Est y affluaient par vagues successives. Sa connaissance de plus en plus aiguë des conditions de vie dans le Lower East Side et la révolte qu'elles lui inspiraient allaient définir l'oeuvre de toute une vie : éveiller l'attention et mobiliser la conscience d'un vaste public. Après dix années au *New York Tribune*, il entra au *New York Evening Sun*, où il poursuivit ses activités de reporter pour la police pendant encore onze ans.

Avec le temps, les articles de Riis s'intéressèrent de plus en plus à la description de l'état déplorable de la communauté immigrante. Ses écrits et ses conférences soulignaient inlassablement que les pauvres étaient les victimes et non les artisans de leur sort, une idée qui alors se faisait jour parmi les partisans de réformes sociales. Mais, malgré son talent d'orateur et son utilisation des statistiques, des dessins d'architecte et des plans urbains, Riis n'avait pas l'impression de faire passer comme il le souhaitait la réalité brutale à laquelle le confrontaient ses incursions nocturnes dans les bas-fonds. Comprenant que le public devait en juger par lui-même, il songea aux possibilités de la photographie : s'ils doutaient de la vérité de ses croquis et de ses dessins, ses lecteurs ne pourraient nier celle des photos.

La photographie constituait désormais une technique solidement maîtrisée, mais la vie des populations urbaines déshéritées restait largement hors de sa portée en raison de l'insuffisance de lumière pour faire des photos la nuit, dans les rues et les logements sombres des bas-quartiers. Au printemps 1887, toutefois, Riis lut dans un journal allemand un article qui décrivait la technique du "flash". "On avait découvert", disait-on, "le moyen de prendre des photos en produisant un éclair de lumière vive. Cette façon de faire permettait de photographier les recoins les plus obscurs." Le nouveau procédé mettait en œuvre une "lampe pistolet" dont les cartouches de magnésium fournissaient assez de lumière, en explosant, pour prendre des photographies instantanées, non posées. Progrès remarquable, la cartouche de la "lampe pistolet" n'en était pas moins dangereuse : elle contenait des produits chimiques fortement explosifs qui risquaient de brûler gravement les photographes ou de provoquer des incendies. Le problème ne fut résolu qu'avec l'apparition, à la fin de 1887, d'une méthode plus fiable mise au point en Grande-Bretagne, consistant à faire exploser la poudre de magnésium au moyen d'une flamme d'alcool. Cette technique exigeait notamment de mettre le feu à la poudre dans une poêle à frire. Riis devait ôter le bouchon de son objectif, enflammer vivement la poudre produisant le flash, puis remettre le bouchon en place. Comme on ne pouvait synchroniser la mise à feu avec le déclencheur de l'appareil, les sujets isolés souffraient d'un léger flou.

Riis eut alors recours aux services de quelques photographes amateurs qui partageaient ses idées. Comme le rapportait un article du *New York Sun* du 12 février 1888, probablement écrit par Riis, *"le groupe se composait de membres de la Société des photographes amateurs de New York, qui expérimentaient la prise de photographies instantanées à la lumière artificielle sous la conduite d'un énergique gentleman, reporter pour la police de New York. Celui-ci voulait réunir une série de vues pour des plaques de lanterne magique qui montreraient mieux qu'aucune autre description la misère et le vice qu'il aurait observé en dix ans de métier. Outre son évident intérêt humain, il pensait que cette manière de traiter le sujet attirerait l'attention sur l'urgence de la situation et indiquerait dans quel sens agir pour l'améliorer... C'est dans ce but qu'il se jeta, avec un infatigable dynamisme, en quête d'images des bas-fonds et de la misère diurne et nocturne de Gotham, servant de support à une conférence intitulée*

"The Other Half; How it Lives and Dies in New York"... Les participants à ces équipées nocturnes étaient le Dr Henry G. Piffard et Richard Hoe Lawrence, deux photographes amateurs distingués et engagés, le Dr John J. Nagle des services d'hygiène municipaux... et Jacob Riis."

Toutefois les compagnons de Riis se lassèrent vite de ces expéditions et le laissèrent faire seul ses photos. Devant les difficultés de l'entreprise, il engagea un photographe de métier. Mais il apprit à sa grande consternation que cet homme de l'art vendait les clichés derrière son dos. Une seconde tentative s'étant révélée trop onéreuse, Riis se décida enfin à sauter le pas. En janvier 1888 il acheta un appareil. Le matériel complet lui coûta 25 dollars. Il consistait en un appareil à boîtier en bois de 4" x 5", un châssis, un pied, une lanterne de sécurité, des bacs à développement et un châssis-presse.

Toutefois rien n'obligeait Riis à être lui-même derrière l'objectif. Il voulait seulement le produit fini pour étayer son propos. De nombreuses images qu'on lui attribua furent exécutées en réalité par d'autres que lui, mais toujours sous son contrôle. Outre les clichés de Piffard et de Lawrence, Riis utilisa aussi les photographies réalisées au début du 20e siècle par Lewis Hine et Jessie Tarbox Beals, l'une des premières femmes à s'être lancée dans le photojournalisme. Mais Riis ne se contenta pas de faire appel à des photographes : il avait quelque chose à dire et ne s'en tenait pas à un simple reportage visuel sur un milieu précis. Les photographies publiées dans *How the Other Half Lives* étaient recadrées pour donner plus de force aux parties retenues. Il les découpait comme l'aurait fait un photojournaliste, et ses images servaient de base aux photogravures reproduites dans ses ouvrages. Sur les marges d'une de ses images figurent des instructions à l'imprimeur de la main de Riis : "A l'artiste ! Veuillez replacer le pistolet qui a presque disparu de la photo." La même photographie est entièrement retouchée avec des rehauts peints sur l'image. De plus, une grande partie de l'oeuvre de Riis semble avoir été composée. On voit, par exemple, de jeunes garçons apparemment endormis sur un trottoir, près d'une bouche d'aération dont la chaleur est leur seul abri. Le fait que les enfants apparaissant dans ces scènes sont presque invariablement au nombre de trois permet de douter de leur spontanéité. De plus, on aperçoit des yeux entrouverts et des sourires en coin chez ces jeunes "dormeurs", et non cette crispation inquiète propre aux miséreux même dans le sommeil. Indice supplémentaire, les négatifs sur plaque de verre de ces prises de vue sont numérotés à la suite, laissant supposer qu'elles constituaient une série sur le même thème.

Par ailleurs, Riis écrivait qu'il glissait souvent une pièce de monnaie à des sujets particulièrement attirants - ou repoussants - pour les introduire dans ses clichés. Il donna notamment dix *cents* à un vagabond afin de le convaincre de poser devant son abri de fortune. L'homme s'exécuta, regarda droit l'objectif et ôta sa pipe. Riis lui demanda de la garder, mais l'intéressé répondit que cela ferait vingt-cinq *cents* de plus. Riis lui donna les pièces et fit sa photo, pipe incluse. On peut seulement conclure que Riis construisait un thème en usant de techniques de composition élémentaires pour renforcer l'efficacité de son message. Si l'on songe, toutefois, à la nature anecdotique d'une grande partie de la peinture de l'époque, les interventions de Riis paraissent très anodines.

Quelques-unes des photographies les plus émouvantes de Riis montrent des enfants, manifestement à dessein. Elles touchaient sans doute davantage le public qui assistait à ses conférences et lisait ses livres. Comme aujourd'hui, la vue d'un enfant qui souffre, de la faim ou du froid, est toujours plus révoltante et mobilisatrice. Beaucoup de ces images exploitent le contraste entre la fragilité et l'innocence des enfants et la dureté de leur environnement. comme *Baxter St. Alley dans Mulberry Bend, ou Sur les toits des baraques. Bébé dans un immeuble insalubre, les escaliers obscurs : son terrain de jeu*, et *La petite Katie de l'école technique de la 52e Rue Ouest*. Avec la photographie saisissante de Katie, Riis offrait un portrait touchant de la fillette fixant l'objectif d'un air réfléchi. Il écrivait à son propos : *"Et que fais-tu ? lui demandai-je. - J'récure, répliqua-t-elle aussitôt, et son regard vous assurait que ce qu'elle récurait finissait propre comme un sou neuf. Katie était l'une de ces petites mères dont le labeur n'a pas de fin. La croix de la condition féminine avait été très tôt posée sur les épaules menues qui la portaient avec tant de vaillance. Au dernier étage d'un immeuble de taudis, elle tenait la maison pour sa grande soeur et ses deux frères qui travaillaient tous. Katie faisait le ménage et la cuisine. Elle lavait, balayait et allait à l'école sans faire d'histoires, et dirigeait la maison avec à l'occasion un coup de main des voisins, encore plus pauvres qu'elle."*

The Children of the Poor

Au milieu de cette misère noire omniprésente, l'appareil de Riis saisissait quelques efforts d'organisation et de formation morale, ainsi *Le salut au drapeau à l'école technique de Mott St.*

Les photographies au flash de Riis permettent à ceux qui les regardent d'observer l'aspect, sans doute le plus pénible de ses sujets : leur vie intime. Ainsi *"Cinq cents la place" : logements insalubres dans les immeubles de Bayard St.*, et *Photographie au flash d'un des quatre colporteurs dormant dans la cave du 11 Ludlow Street.*

Les mêmes conditions sordides sévissaient sur le lieu de travail, et Riis fixa les images des indigents qui tentaient de gagner leur subsistance. Il photographia des miséreux travaillant dans des ateliers immondes.

Cependant la misère n'est pas confinée dans les seuls intérieurs, comme le montre clairement l'image que Riis nous donne des rues, des écoles et des parcs. Par son ampleur, l'oeuvre révèle l'intention de son auteur : mettre en évidence un large échantillon de la vie des bas-quartiers. La photo des petites filles endimanchées, par exemple, exhibe ces êtres innocents pour le plaisir de l'oeil, ce qui occulte en partie la gravité du message. Peut-être cette image cherche-t-elle moins à montrer le dénuement que la joie et l'énergie des déshérités.

Un autre document de cette série : *Un étal de quatre-saisons dans Mulberry St. Bend avec moi sur la photo*, montre Riis faisant lui-même oeuvre d'archiviste de la rue dans le Lower East Side newyorkais. Cette photographie présente aussi une vision attendrie du rythme de la vie de l'époque, qui se pare d'un charme désuet comparée à la nôtre et caractérise une grande partie de l'oeuvre de Riis.

Son utilisation de la lanterne magique pour accompagner ses conférences eut un retentissement considérable. La presse locale rapportait que ses auditeurs gémissaient, frissonnaient, s'évanouissaient et même interpellaient les clichés qu'il projetait, réagissant aux plaques non comme à des images, mais comme à une réalité virtuelle qui introduisait les bas-fonds de New York dans la salle de conférence. Ils appartenaient essentiellement aux classes moyennes et ignoraient parfois tout de la vie dans les taudis, mais ils comprenaient d'emblée qu'elle constituait une menace sérieuse et une atteinte intolérable à la dignité humaine. Ces réactions secondèrent puissamment l'action menée par Riis pour sortir l'opinion publique d'une passivité complaisante et la convaincre de la nécessité d'améliorer une situation inacceptable. Riis entreprit bientôt des tournées dans tous les Etats-Unis pour présenter ses conférences illustrées à un maximum de personnes.

Si la photographie accentuait la force de ses propos, Riis se heurtait aux contraintes de distance et de temps qui diminuaient le nombre de ses auditeurs. Mais une fois encore les innovations de la technologie visuelle vinrent à son secours. Les progrès des méthodes de reproduction lui permirent d'utiliser ses images sous la forme de simili-gravures qui illustraient ses oeuvres publiées et touchaient un public bien plus large. En près de vingt ans, Riis écrivit onze livres et plusieurs articles qui affirmèrent sa réputation, jusque-là régionale, sur la scène nationale et internationale. Son premier ouvrage majeur, *How the Other Half Lives : Studies Among the Tenements of New York*, paru en 1890, connut un large succès et continue d'être réimprimé aujour-d'hui. Unanimement saluée par la critique, sa publication lui permit d'entrer en contact avec Theodore Roosevelt alors jeune politicien newyorkais qui devint en 1885 chef de la police de la ville, et plus tard président des Etats-Unis. Roosevelt passa un jour chez Riis et laissa sa carte avec un mot au verso : "J'ai lu votre livre et je viens à la res-cousse !" Ce fut le début d'une longue amitié. Alors qu'il entamait son ascension politique, Roosevelt allait se mon-trer un allié actif de Riis dans sa campagne réformatrice. Roosevelt le qualifiait de "citoyen le plus utile de New York". Riis joua un rôle important - en grande partie grâce à ses photographies - dans le démantèlement des asiles de nuit de la police, la réhabilitation des logements insa-lubres, l'amélioration des conditions sanitaires, la créa-tion de jardins publics et de terrains de jeu et la rénova-tion des écoles.

En 1904, Riis souffrit de problèmes cardiaques que les voyages et le surmenage chronique aggravèrent au cours des années suivantes. Sa première femme était décédée en 1905 (il se remaria en 1907), et lui-même mourut le 26 mai 1914 dans sa maison de campagne de Barre, dans le Massachusetts. Il laissait cinq enfants, trois fils et deux filles. A sa mort, sa réputation tenait essentiellement à son activité de réforma-teur à travers ses écrits et ses conférences. Paradoxalement, pas une notice nécrologique ne mentionnait, même d'un mot, son oeuvre de photographe. Pendant les vingt années qui sui-virent, sa réputation s'estompa, mais on continua d'associer son nom aux réformes sociales.

Les soixante-quatre photographies reproduites dans ce *Photo Poche* présentent un échantillon des 191 tirages d'époque, 415 négatifs sur plaque de verre originaux et 326 plaques de lanterne magique conservés dans la collection du Museum of the City of New York. La négligence avec laquelle l'oeuvre de Riis fut entreposée à plusieurs reprises entraîna la perte d'importantes fractions de celle-ci. Ce qui en subsistait fut donné au musée en 1946 par son plus jeune fils, Roger William Riis. Cette année-là, le musée organisa une exposition des photographies de Riis, dont le tirage fut confié à Alexander Alland, photographe et collectionneur passionné de négatifs d'époque.

Alland recadrait vigoureusement les négatifs de Riis et les agrandissait pour accentuer leur intensité dramatique. C'est sous cette forme que les photographies de la collection Riis du musée furent reproduites dans les publications et les documentaires, et présentées au public moderne au cours des cinquante dernières années. En 1995, toutefois, le museum of the City conçut une nouvelle exposition de l'oeuvre de Riis, qui, pour la première fois depuis leur création, révélait les photographies sous leur forme originale.

Les tirages reproduits ici sont faits à partir d'épreuves contact sur papier "aux sels d'argent" exécutés en 1994 directement à partir des négatifs originaux sur plaque de verre de format 4"x5". Le papier aux sels d'argent était le support habituellement utilisé à l'époque de Riis. Ces nouvelles épreuves contact montrent une précision et une délicatesse passées jusque-là inaperçus, et sont présentées avant recadrage, telles qu'elles furent réalisées voici plus d'un siècle.

Leslie Nolan
Conservateur, au département des Estampes et photographies
Museum of the City of New York.

1. Repaire de bandits, Mulberry St., c, 1890

2. Maison sous la glace après un incendie dans Crosby St.
en face de Jersey St., 1896.

3. Cour du 24 Baxter St., c. 1890.

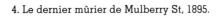
4. Le dernier mûrier de Mulberry St, 1895.

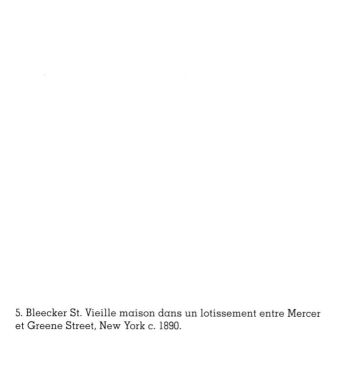

5. Bleecker St. Vieille maison dans un lotissement entre Mercer
et Greene Street, New York c. 1890.

6. Quartier de nuit, c. 1890.

7. Un "tobogan" dans Hamilton Street, c. 1890.

8. Ecole de couture, Gotham Court, c. 1890.

9. Terrain de jeu, c. 1890.

10. Blindman's Alley, c. 1890.

11. Vagabond dans la cour de Baxter Street,
photo au flash à 2 h. du matin, c. 1890.

12. Pages suivantes : Sous la décharge, West 47 th St., c. 1890.

13. Gamins des rues, c. 1890.

14. Quartier de nuit, Mulberry St., c. 1890.

15. Mulberry Bend, c. 1890.

16. Un étalage de légumes (avec Jacob Riis sur la photo) Mulberry St., 1895.

17. Pages suivantes : Sur le toit des baraques, c. 1890.

18. Mulberry Street, 1895.

19. Chinatown. Le journal officiel de la colonie, c. 1890.

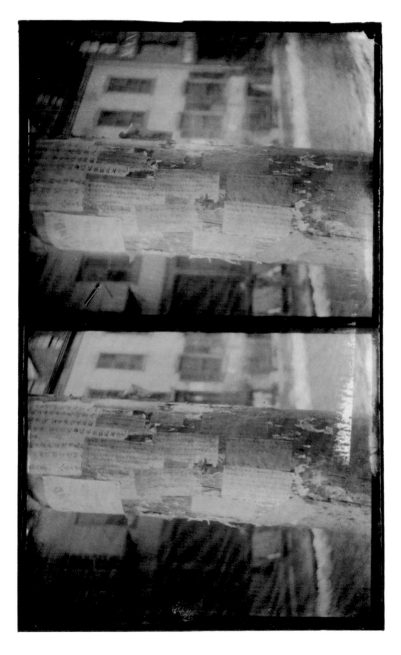

22. La petite Katie, Ecole technique de la 52e Rue Ouest, c. 1890.

23. Baxter Street, c. 1890.

24. Ecole technique de Beach St., c. 1890.

25. Mulberry Grove, 1895.

26. L'aveugle. c. 1890.

27. Jeu de mains, c. 1890.

28. Escalier d'un immeuble insalubre, c. 1890.

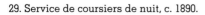

29. Service de coursiers de nuit, c. 1890.

30. Pages suivantes : L'Ile de Blackwell. Le pénitencier, c. 1890.

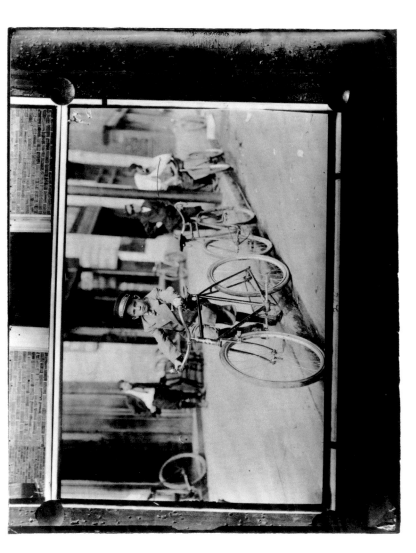

31. Bureau principal de la Police, 1890.

32. La galerie de portraits : Funeral Wells Sofy, Levy
et deux autres voleuses c. 1890.

33. 3 h du matin au bureau du Sun, c 1890.

34. Démolition de taudis pour élargir Elm Street, c. 1898.

35. Galetas surpeuplé de Bayard Street : cinq *cents* la place, c. 1890.

36. Dans la cave du 11 Ludlow Street.

37. Asile de nuit de la police. Minuit au poste de Leonard St., c. 1890.

38. Dans"Poverty Gap", 28e Rue Ouest,
logis d'un charbonnier anglais, c. 1890.

39. Minuit dans Bayard St., c. 1890.

40. Ludlow St. un juif prépare le sabbat dans sa cave, 1895.

41. Un bouge dans Thompson St. : le "Black and Tan", c. 1890.

42. Jersey Street, mère italienne et son bébé, c. 1890.

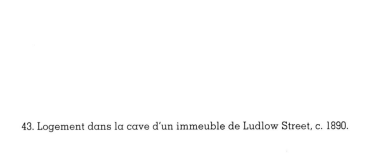

43. Logement dans la cave d'un immeuble de Ludlow Street, c. 1890.

44. Sous la décharge, c. 1890.

45. Asile de nuit de la police.
Des femmes au poste d'Elizabeth St., c. 1890.

46. Pell Street. Pension à 7 *cents*, c. 1890.

47. Pages suivantes : Atelier clandestin dans un logement
de Hester St., c. 1890.

48. Cordonnier dans la cour du 219 Broome St., c. 1890.

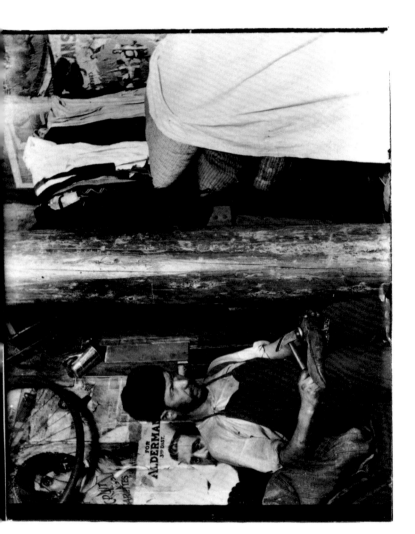

49. Atelier de confection de cravates, Division Street, c. 1890.

50. Cigariers au travail dans leur logement, c. 1890.

51. Dans un atelier clandestin, c. 1890.

52. New York, bureau des reporters au 301 Mulberry St., c. 1890.

53. Cours du soir à la pension de la Septième Avenue, c. 1890.

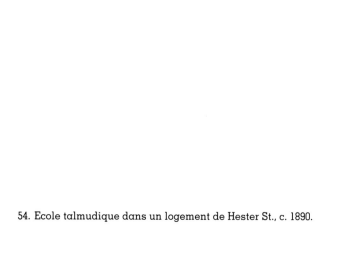

54. École talmudique dans un logement de Hester St., c. 1890.

55. Iroquois, 1895.

56. La petite Susie Gotham Court, c. 1890.

57. Dans une soupente d'Elizabeth St., c. 1890.

58. Hospice des enfants trouvés de New York, c. 1890.

59. Jardin d'enfants, c. 1897.

60. Pages suivantes : Ecole technique de la 52e Rue Ouest, c. 1890.

61. Ecole publique de l'East Side. 1, c. 1890.

62. Le salut au drapeau à l'école technique de Mott St., c. 1890.

63. Mott Street, c. 1890.

64. Potter's Field, c. 1890.

BIBLIOGRAPHIE

Riis Jacob, *How the Other Half Lives :
Studies Among the Tenements of
New York*, New York, Charles
Scribner's Sons, 1890, 1894
(réimpressions : New York, Hill
and Wang, 1957; New York, Sagamore
Press, 1957; Cambridge, Mass.,
Belknap Press, 1970 ; New York, Dover,
1971; New York, Bedford Books of
St. Martin's Press, 1996.

The Children of the Poor, New York,
Charles Scribner's Sons, 1892.

*Out of Mulberry Street : Stories
of Tenement Life in New York City*,
New York, The Century Co., 1898.

*A Ten Year's War : An Account
of the Battle with the Slum in New York*,
New York, Houghton, Mifflin & Co, 1900.

The Making of an American, New York,
Macmillan, 1901, 1906.

The Battle with the Slum, New York,
Macmillan, 1902.

Children of the Tenements, New York,
Macmillan, 1903.

*The Peril and Preservation
of the Home*, Philadelphie, G.W. Jacobs
& Co., 1903.

Theodore Roosevelt, the Citizen,
New York, Macmillan, 1904.

Is There a Santa Claus ?, New York,
Macmillan, 1904, 1922; Minneapolis,
Minn., Buckbee-Brehm Co., 1927.

The Old Town, New York, Macmillan,
1909.

Alland, Alexander, Sr., *Jacob A. Riis
Photographer & Citizen*, New York,
Aperture, 1974.

Cordasco, Francesco (sous la direction
de), Jacob Riis Revisited : *Poverty and
the Slums in Another Era*, New York,
Anchor Books, 1968.

Fried, Lewis, et John Fierst, *Jacob A.
Riis : A Reference Guide*, Boston,
G.K. Hall, 1977.

Hales, Peter, *Silver Cities : The
Photography of American Urbanization
1839-1915*, Philadelphie, Temple
University Press, 1984.
*"The Hidden Hand : Jacob Riis and the
Rethoric of Reform"*, Exposure, 20, n° 3,
automne 1982, p. 52-58.

Hassner, Rune, *Jacob A. Riis Reporter
med kamera i New York slum*,
Stockholm, P.A. Norstedt & Soners
forlag, 1970.

Lane, James, B., *Jacob A. Riis and the
American City*, Port Washington,
Kennikat Press, 1974.

Meyer, Edith, *"Not Charity but Justice" :
The Story of Jacob A. Riis*, New York,
Vanguard, 1974.

Stange, Maren, *American Documentary
Photography : The Mode and Its Style,
1900-1934*, Boston University, 1981.
*"Gotham's Crime and Misery : Ideology
and Entertainment in Jacob Riis's
Lantern Slide Exhibitions"*,
Views, printemps 1987, p. 7-11.
*Symbols of Ideal Life : Social
Documentary Photography in America,
1890-1950*, New York, Cambridge
University Press, 1989.

Stein, Sally, *"Making Connections with
the Camera : Photography and Social
Mobility in the Career of Jacob Riis"*,
Afterimage, 10, n° 10, mai 1983, p. 9-16.

Szarkowski, John, *Looking
at Photographs*, New York, Museum
of Modern Art, 1973.

Szasz, Ferenc, M., et Ralph, F. Bogardus,
*"The Camera and The American Social
Conscience : The Documentary
Photography of Jacob A. Riis"*,
New York History, 60, n° 4, octobre 1974,
p. 409-436.

Ware, Louise, *Jacob A. Riis : Police
Reporter, Reformer, Useful Citizen*,
New York, D. Appleton-Century, 1938.

Yochelson, Bonnie, *"What are the
Photographs of Jacob Riis ?"*, culturefront
3, n° 3, automne 1994, p. 28-38.

Cet ouvrage, publié dans la collection Photo Poche
dirigée par Robert Delpire
a été réalisé avec la collaboration de Idéodis Création,
et achevé d'imprimer en octobre 1997
sur les presses de l'imprimerie Mame à Tours. France.